Dieses Kunst-Malbuch gehört:

Kunst-Malbuch

Gustav Klimt

München · Berlin · London · New York

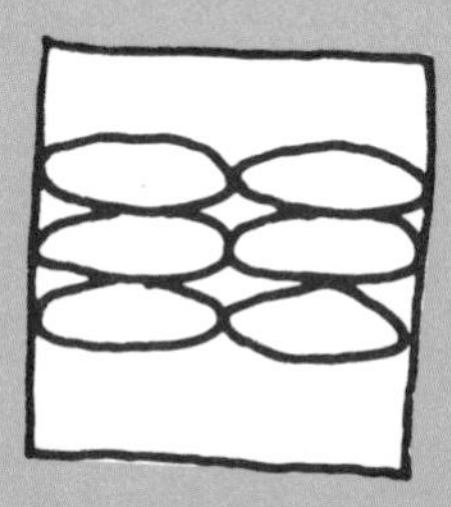

Das ist Gustav Klimt.

Er lebte vor etwa 100 Jahren als Maler in Wien.
Mit seiner Freundin Emilie Flöge verbrachte er viele Sommer auf dem Land.
Dort entstanden tolle Bilder mit Landschaften und Blumen, die wie bunte Teppiche in vielen Farben leuchten.

Besonders gern malte Gustav auch Frauen, die er in fantasievollen Kleidern wunderschön aussehen lässt. Anregung holte er sich bei Emilie: Sie besaß zusammen mit ihren Schwestern einen der schicksten Modesalons Wiens und entwarf Kleider für die reichen Damen.

Emilie Flöge in ihrem Wiener Modesalon

Viele von Gustavs Bildern sind reich gemustert mit Wellenlinien, Spiralen, Kreisen und anderen Ornamenten. Mit dieser Art zu malen gehörte er zu den ersten Künstlern der „Jugendstil" genannten Kunstrichtung.

Gustav Klimt trägt hier seinen Malerkittel

In diesem Buch findest du viele Bilder von Gustav Klimt zum Aus- und Weitermalen und eine Anziehpuppe mit Kleidern zum Ausschneiden.
Benütze die Farben, die du am schönsten findest, und male die Bilder so, wie sie dir gefallen!

Hast du vielleicht einen Goldstift?
Das war eine von Gustavs Lieblingsfarben!

Hier siehst du Emilie. Sie hat gerade ein neues Kleid entworfen!

Gustav und Emilie verbringen ihre Ferien auf dem Land. Wer schaut aus dem Fenster?

GVSTAV

Male einen Blumengarten mit Hühnern!

So eine schöne Aussicht! Male das Bild aus und weiter.

GVSTAV
KLIMT

Wie sieht der Apfelbaum im Frühling aus? Vergiss nicht die Blumen auf der Wiese!

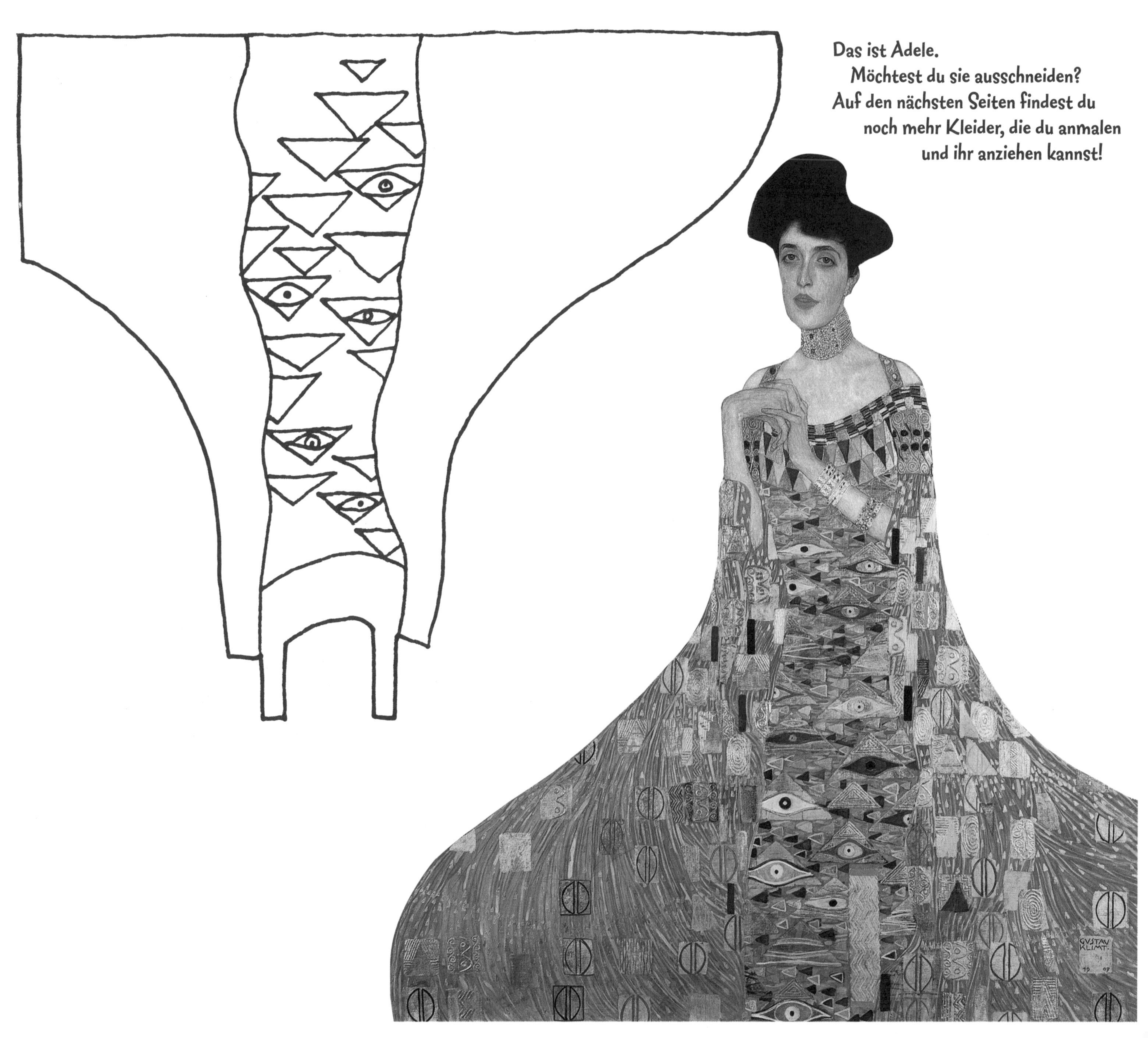

Das ist Adele.
Möchtest du sie ausschneiden?
Auf den nächsten Seiten findest du
noch mehr Kleider, die du anmalen
und ihr anziehen kannst!

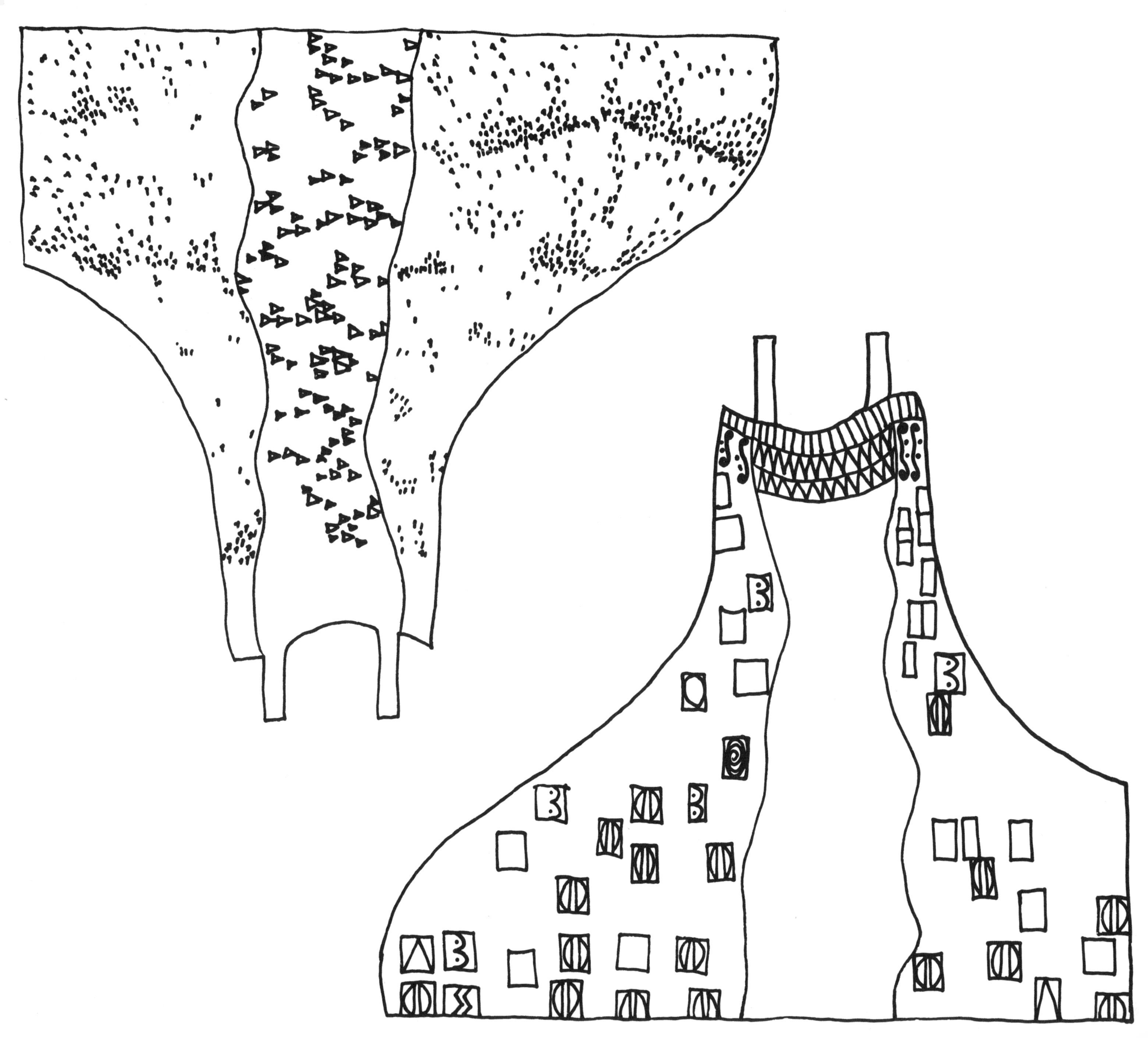

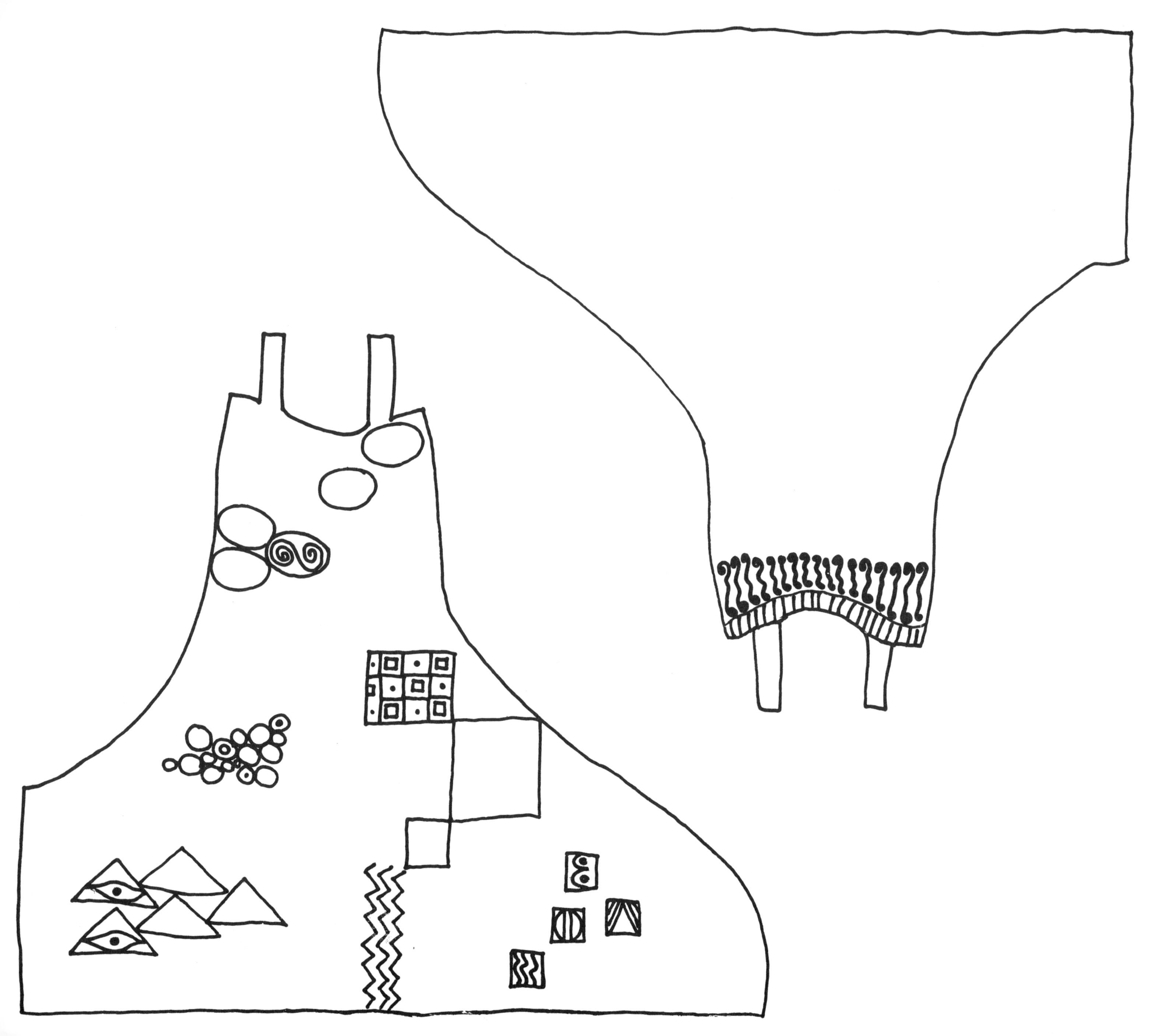

Male Mäda ein buntes Sommerkleid!

Eine Einladung bei Fritza Riedler! Alle haben sich schön angezogen.

Auf diesen Kopf gehört ein größerer Hut!

Erfinde noch mehr tolle Fantasiehüte!

Ein Wunschbaum ...

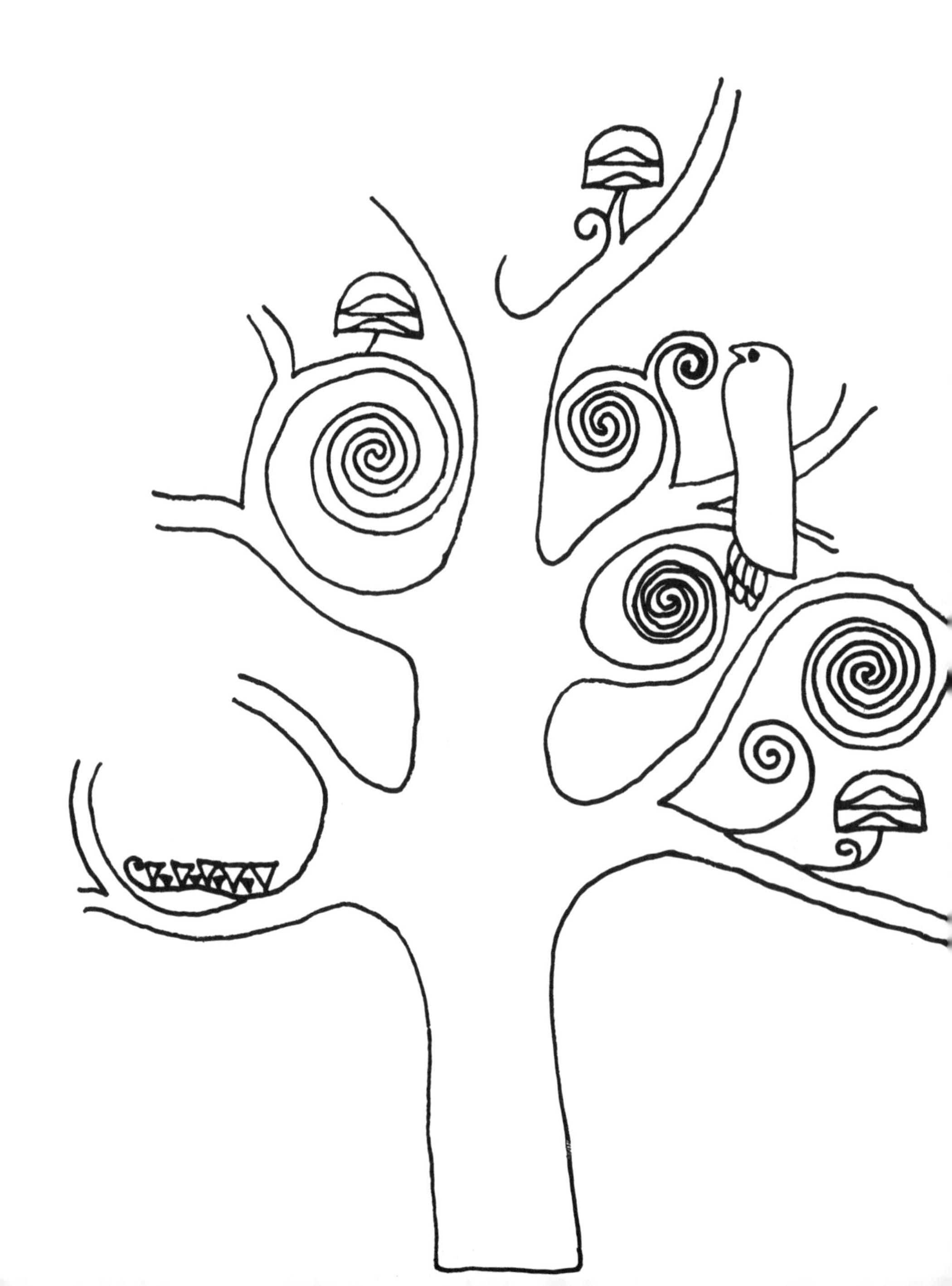

... was wünschst du dir?

Wohin reitet der Ritter?

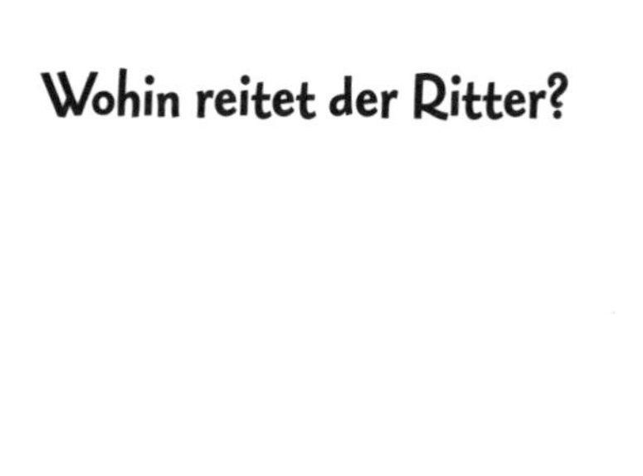

Wer ist der geheimnisvolle Ritter in der goldenen Rüstung?

Die Originalbilder

Hier siehst du die Bilder, die für dieses Buch als Vorlagen gedient haben. Welche erkennst du wieder?

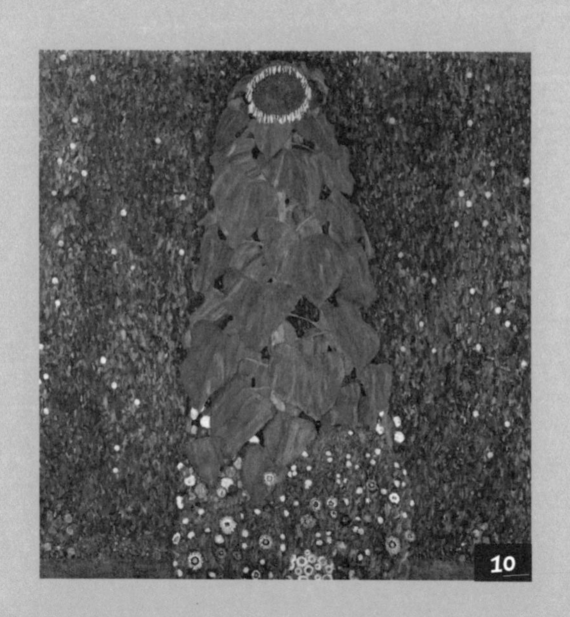

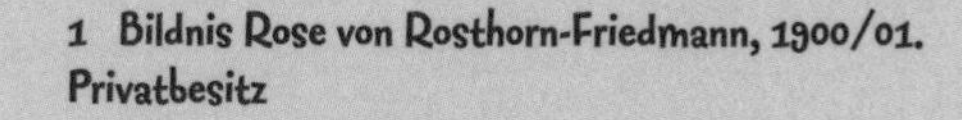

1 Bildnis Rose von Rosthorn-Friedmann, 1900/01. Privatbesitz

2 Bildnis Emilie Flöge, 1902. Wien Museum

3 + 4 Ausschnitte aus dem Beethovenfries. 1902. Wien, Österreichische Galerie Belvedere (Foto: Artothek)

5 Das Leben ein Kampf, 1903. Privatbesitz

6 Bildnis Margarete Stonborough-Wittgenstein, 1905. München, Bayerische Staatsgemäldesammlungen, Neue Pinakothek (Foto: Artothek)

7 Lebensbaum (Werkvorlagen zum Stocletfries), 1905–11. Wien, Österreichisches Museum für angewandte Kunst/Gegenwartskunst

8 Die Erfüllung (Werkvorlagen zum Stocletfries), 1905–11. Wien, Österreichisches Museum für angewandte Kunst/Gegenwartskunst

9 Bildnis Fritza Riedler, 1906. Wien, Österreichische Galerie Belvedere (Foto: Artothek)

10 Die Sonnenblume, 1907. Privatbesitz

11 Bildnis Adele-Bloch-Bauer I, 1907. New York, Neue Galerie (Foto: Artothek)

12 Dame mit schwarzem Federhut, 1910. Privatbesitz

13 Bildnis Mäda Primavesi, um 1912. New York, The Metropolitan Museum of Art (Foto: akg)

14 Forsthaus in Weissenbach am Attersee, 1912. New York, Neue Galerie

15 Bildnis Adele Bloch-Bauer II, 1912. Privatbesitz

16 Malcesine am Gardasee, 1913. 1945 in Schloss Immendorf verbrannt

17 Apfelbaum II, 1916. Privatbesitz

18 Der Gartenweg mit Hühnern, 1916. 1945 in Schloss Immendorf verbrannt

Prestel Verlag
Königinstraße 9
80539 München
Tel. 089-38 17 09-0
Fax 089-38 17 09-35
www.prestel.de

Konzept, Zeichnungen und Texte: Christiane Weidemann
Lektorat: Doris Kutschbach
Gestaltung und Herstellung: Andrea Mogwitz, München
Lithografie: ReproLine mediateam, München
Druck und Bindung: Aumüller, Regensburg

Gedruckt auf chlorfrei gebleichtem Papier
Printed in Germany

ISBN 978-3-7913-3789-0

So hat Gustav Klimt seine Bilder unterzeichnet. Erfindest du deine eigene Signatur?